Sally and the Microscope Sally e il microscopio
Children's Bilingual Picture Book: English, Italian
Copyright © Kevin Marx 2021

D1263014

Sally was an inquisitive girl. She wanted to know more about the world.

"What is this made of?" she liked to ask, about every small interesting thing that she passed.

Sally era una bambina curiosa. Voleva sapere di più sul mondo. Per ogni piccola cosa interessante che incontrava, le piaceva chiedere «Di cosa è fatto?»

One day in her garden in a hole she had dug, she happened upon a beautiful bug, with black spots on red that covered its wings. Sally wished she could have such beautiful things.

Un giorno nel suo giardino, in un fosso che aveva scavato, incontrò un bellissimo insetto, che aveva una corazza rossa con macchie nere sulle ali. Sally desiderava avere anche lei qualcosa di così bello.

As she moved in closer to take a look, she noticed the color of a leaf that shook.

"Why is one green and the other red? Mom I have questions!" Sally said.

Mentre si avvicinava per dare un'occhiata, notò il colore di una foglia che si muoveva.

«Perché una è verde e l'altra è rossa? Mamma, ho qualcosa da chiederti!» disse Sally.

"I'm so happy you always want to learn more, and to help you study I have a great thing in store! Let's clean up, and wash our hands with soap, for today we shall play with a microscope!"

«Sono così felice che tu voglia sempre imparare cose nuove e per aiutarti ho preparato qualcosa di fantastico! Dai, mettiamo in ordine e laviamoci le mani con il sapone, perché oggi giocheremo con il microscopio!»

After washing they set up the magnifying device. The aperture and focus were looking nice. Mom grabbed a leaf and prepared the slide, "Look through and you'll see the treasures plants hide."

Dopo essersi lavate le mani, prepararono il microscopio. L'apertura e la messa a fuoco andavano bene. La mamma prese una foglia e preparò il vetrino.
«Guarda attraverso il microscopio e vedrai i tesori nascosti nelle piante».

"Look closely and you'll see a chloroplast, which makes plants green with a chlorophyll blast! Unlike animals plants have a cell wall, but all have a nucleus that looks like a ball."

«Ecco, guarda da vicino e potrai osservare un cloroplasto, che rende le piante verdi grazie a un'esplosione di clorofilla! A differenza degli animali, le piante hanno una parete cellulare e tutte le cellule hanno un nucleo che sembra una palla».

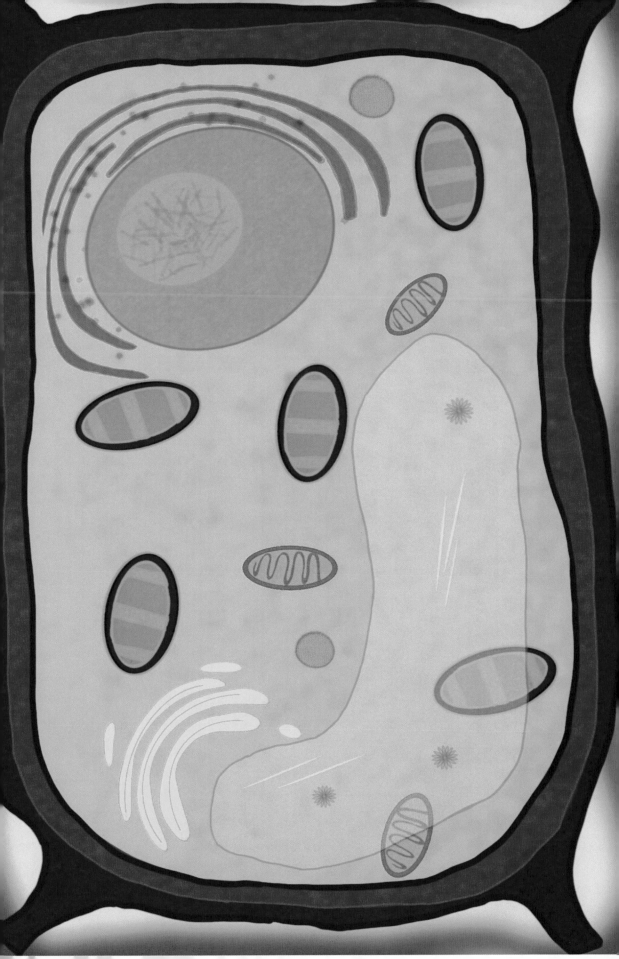

"The nucleus holds all the DNA, which is used to make more cells every day. We call it mitosis when a cell splits in half."
"Wow that's so cool!" Sally said with a laugh.

«Il nucleo contiene tutto il DNA, che viene usato per creare nuove cellule ogni giorno. Quando una cellula si divide a metà, questo si chiama mitosi».
«Wow, fantastico!» disse Sally ridendo.

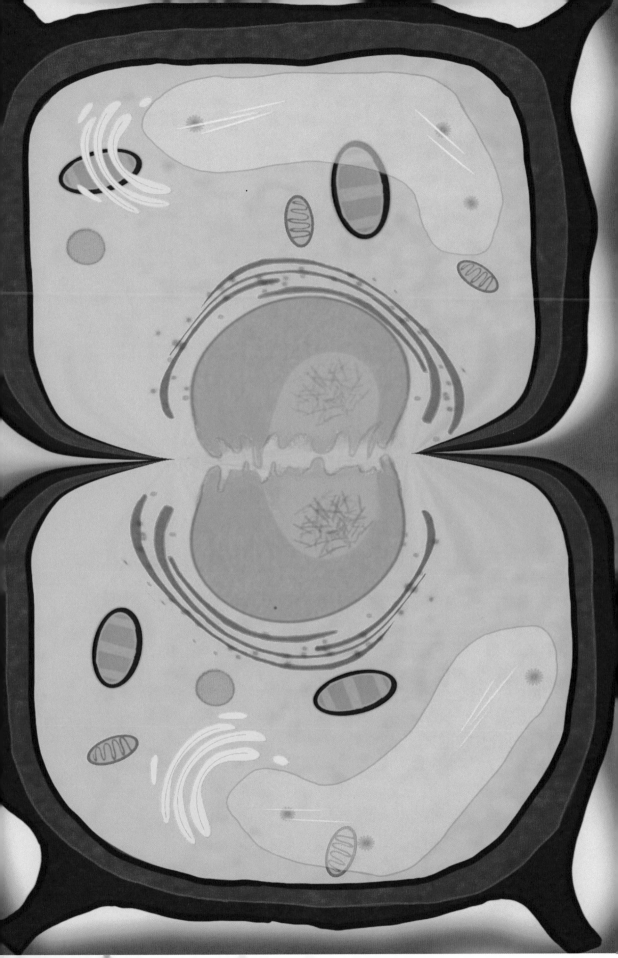

"But what's DNA? Can you tell me more?"
"To understand DNA we'll use the number four. DNA is a blueprint for the shape of our hearts. Every thing is designed from only four parts."

«Ma cos'è il DNA? Dai, raccontami altro!»
«Per comprendere il DNA, possiamo pensare al numero quattro. Il DNA ha una struttura a forma di cuore. Ogni cosa è progettata a partire da sole quattro componenti».

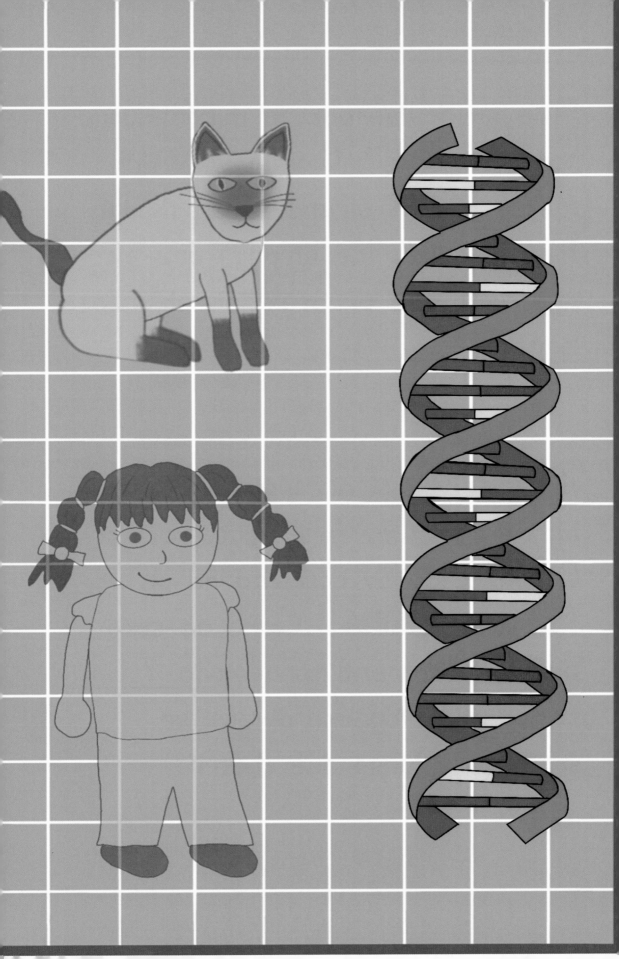

"The molecules pair in a continuous band. A with T, C with G, which makes a DNA strand. Even though they're small, the strands are strong, and each one unraveled is six feet long!"

«Le molecole si accoppiano in una banda continua. A si accoppia con T, C con G, dando così vita ad un filamento di DNA. Anche se sono piccoli, i filamenti sono molto resistenti, e ognuno di essi se srotolato è lungo due metri!»

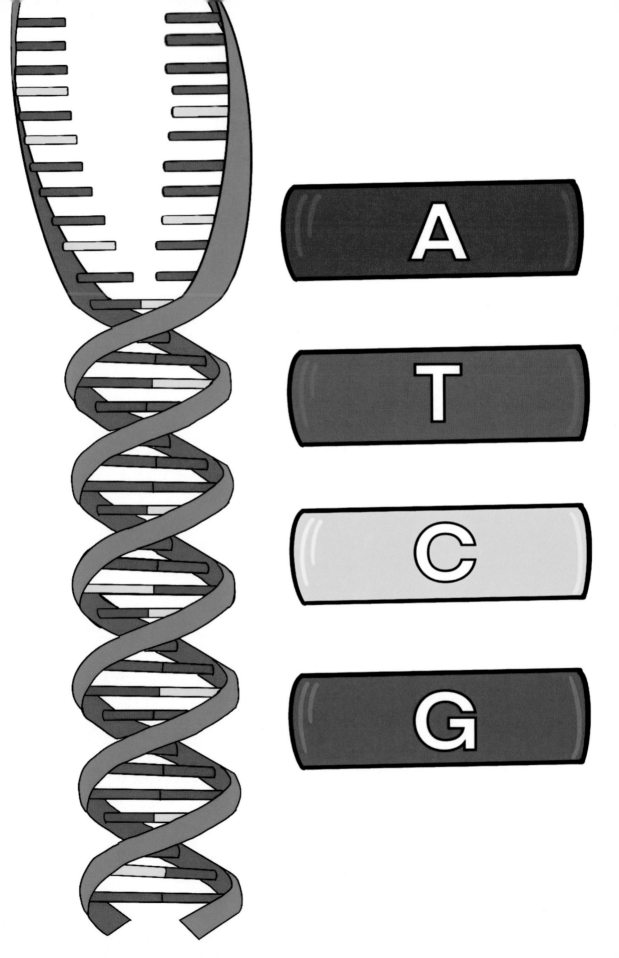

"What are molecules? Tell me more about those!"
"They are the things from which all is composed. Molecules have atoms, linked together with bonds. Like friends, they stick together and share electrons."

«Cosa sono le molecole? Raccontami qualcosa in più!»
«È quello che compone ogni cosa. Le molecole sono fatte di atomi, uniti tra loro da legami. Come gli amici, stanno sempre insieme e condividono gli elettroni».

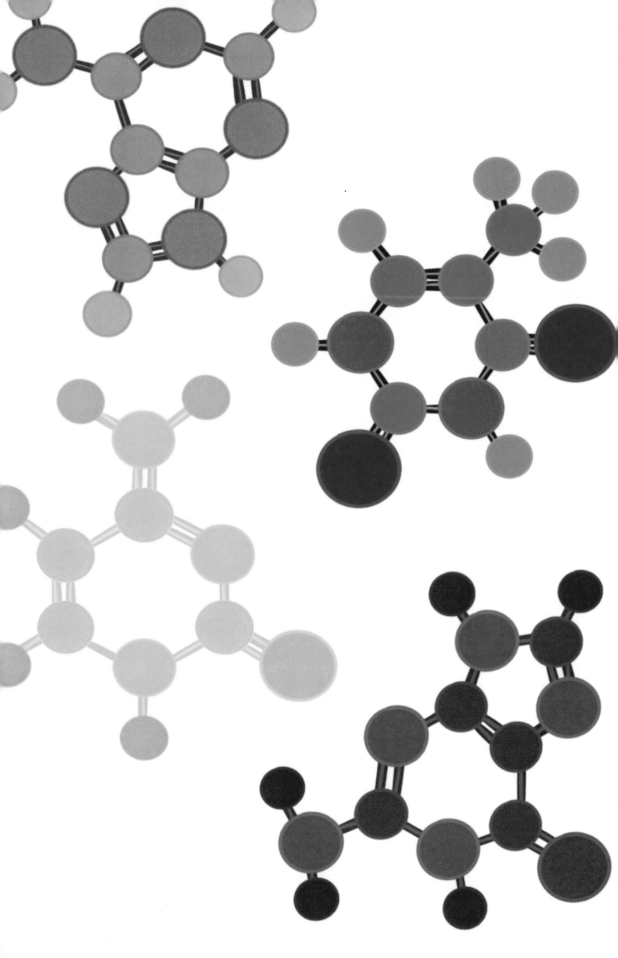

"A molecule of water is called H_2O. Two hydrogen, one oxygen, together they go! There's countless combinations molecules can make, and so many cool geometric shapes they can take."

«Una molecola d'acqua si chiama H_2O. Due atomi d'idrogeno e uno di ossigeno si uniscono! Ci sono innumerevoli combinazioni che le molecole possono assumere, e possono formare tantissime forme geometriche meravigliose».

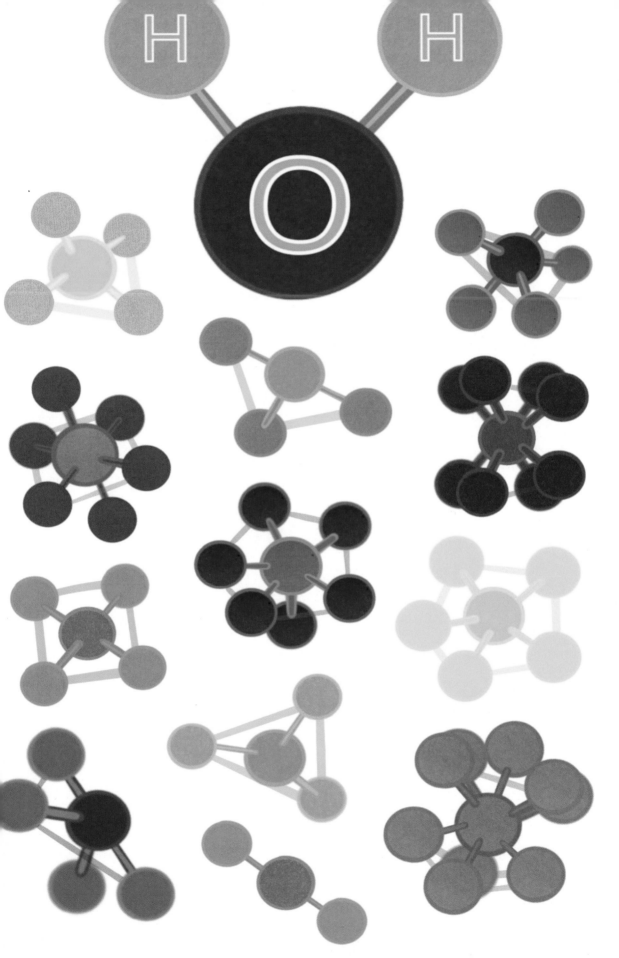

"What are atoms?" asked Sally, still not content.

"Atoms are the smallest bits of elements. Protons and neutrons form the atom's center. Electrons fly around because they can't enter."

«Che cosa sono gli atomi?» chiese Sally, non ancora soddisfatta.

«Gli atomi sono i pezzi più piccoli degli elementi. Protoni e neutroni formano il centro dell'atomo. Gli elettroni volano intorno perché non riescono ad entrarci».

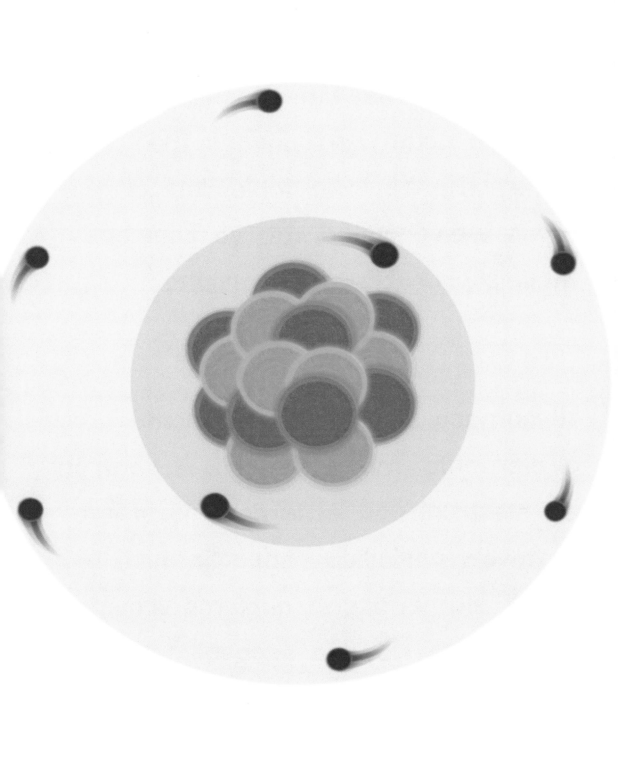

"The number of protons controls the element's name, but the neutron and electron count isn't always the same. The periodic table lists all the types we've found, 118 so far, but there's probably more around."

«Il numero di protoni dà il nome all'elemento, ma il numero di neutroni ed elettroni non è sempre lo stesso. La tavola periodica raccoglie tutti i tipi di elementi che abbiamo trovato. Finora sono 118, ma probabilmente ce ne sono ancora altri in giro».

1 H																		2 He
3 Li	4 Be												5 B	6 C	7 N	8 O	9 F	10 Ne
11 Na	12 Mg												13 Al	14 Si	15 P	16 S	17 Cl	18 Ar
19 K	20 Ca	21 Sc	22 Ti	23 V	24 Cr	25 Mn	26 Fe	27 Co	28 Ni	29 Cu	30 Zn		31 Ga	32 Ge	33 As	34 Se	35 Br	36 Kr
37 Rb	38 Sr	39 Y	40 Zr	41 Nb	42 Mo	43 Tc	44 Ru	45 Rh	46 Pd	47 Ag	48 Cd		49 In	50 Sn	51 Sb	52 Te	53 I	54 Xe
55 Cs	56 Ba	57 La	72 Hf	73 Ta	74 W	75 Re	76 Os	77 Ir	78 Pt	79 Au	80 Hg		81 Tl	82 Pb	83 Bi	84 Po	85 At	86 Rn
87 Fr	88 Ra	89 Ac	104 Rf	105 Db	106 Sg	107 Bh	108 Hs	109 Mt	110 Ds	111 Rg	112 Cn		113 Nh	114 Fl	115 Mc	116 Lv	117 Ts	118 Og

58 Ce	59 Pr	60 Nd	61 Pm	62 Sm	63 Eu	64 Gd	65 Tb	66 Dy	67 Ho	68 Er	69 Tm	70 Yb	71 Lu
90 Th	91 Pa	92 U	93 Np	94 Pu	95 Am	96 Cm	97 Bk	98 Cf	99 Es	100 Fm	101 Md	102 No	103 Lr

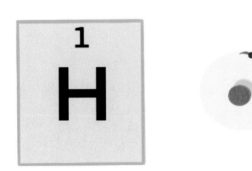

"What's smaller than atoms? Is that
as small as it gets?"
"No, there are other things even
smaller yet. Quarks are the smallest
particles we can find. They have
three different colors and six
different kinds!"

«Cosa c'è di più piccolo degli atomi?
Sono la cosa più piccola che c'è?»
«No, ci sono altre cose ancora più
piccole. Sono i quark le particelle più
piccole che possiamo trovare. Hanno
tre differenti colori e ce ne sono
sei tipi diversi!»

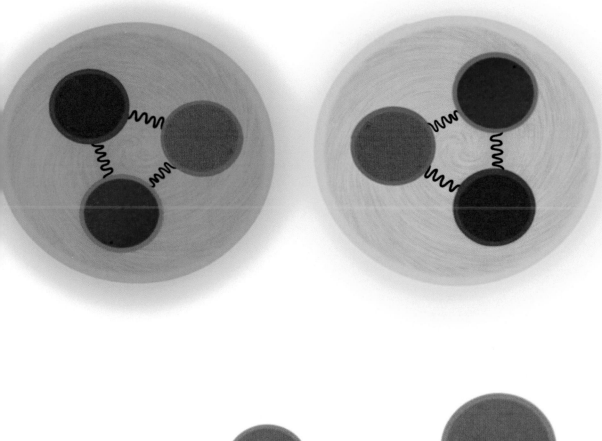
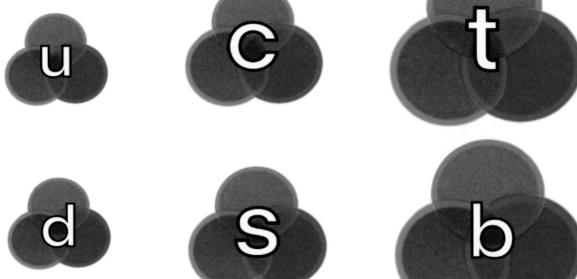

"Scientists use accelerators to make the quarks smash, and then they take pictures of the high speed crash. We've learned so much from these high speed collisions, but still we don't know what other secrets are hidden."

«Gli scienziati usano gli acceleratori di particelle per far scontrare i quark e poi scattano le foto del loro scontro ad alta velocità. Abbiamo imparato molte cose da queste collisioni ad alta velocità, ma non sappiamo quali altri segreti si nascondano ancora».

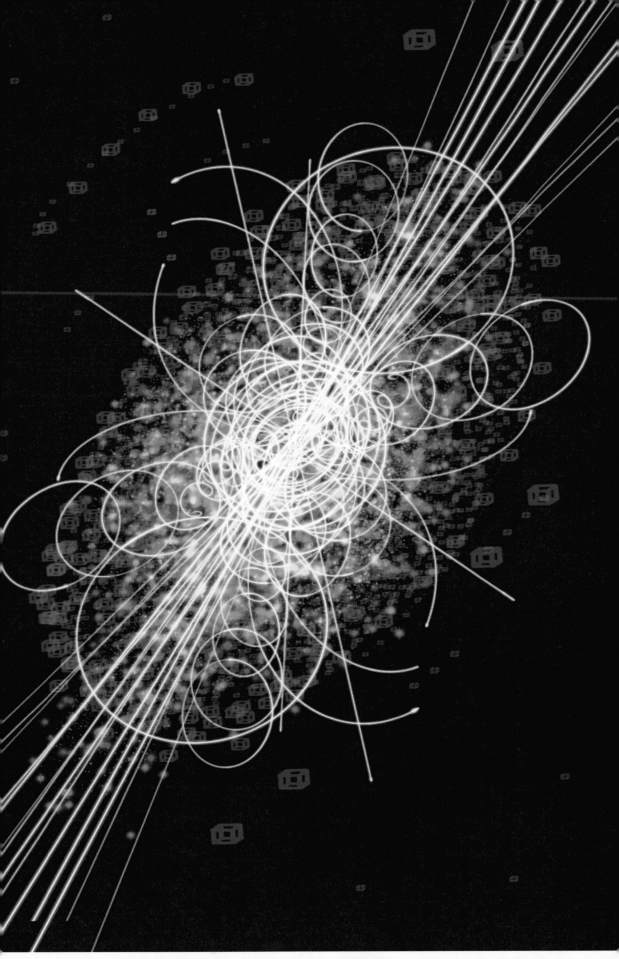

"How small does it get, how low does it go?"
"I'm sorry to say, but nobody knows! It's too small to see, so we just have to guess. Some think it's some strings in a jumbled mess."

«Quanto può essere piccolo tutto questo, fino a quanto in profondità possiamo spingerci?»
«Mi dispiace dirlo, ma nessuno lo sa! È così tutto troppo piccolo da vedere, quindi dobbiamo solo tirare a indovinare. Alcuni pensano che si tratti di stringhe, in una confusione infinita».

"Others think there are fields, which push each other around. The true answer to your question has yet to be found! It could be no matter how far we descend, that we won't find an answer, that there is no end..."

«Altri pensano che ci siano dei campi che si respingono a vicenda. La vera risposta alla tua domanda non è stata ancora trovata! Non importa quanto in basso cerchiamo, potrebbe essere che non troveremo mai una risposta, che non ci sarà mai alcuna fine...»

"I'm out of questions. You've answered them all."
"It was my pleasure to talk about all things small."
"I want to see more and tell everyone, using a microscope is so much fun!"

«Bene, non ho altre domande. Hai già risposto a tutto quello che volevo sapere».
«È stato un piacere parlare di tutte questi piccoli elementi».
«Voglio continuare ad osservare ancora tante nuove cose e raccontarlo a tutti, usare un microscopio è così divertente!»

THE END

Fine

Made in United States
Orlando, FL
04 February 2023

29501059R00022